Katja Gehrmann, geboren 1968, studierte in Mexiko, Spanien und an der Fachhochschule für Gestaltung in Hamburg Illustration. Sie arbeitet für Kinderzeitschriften und zahlreiche Verlage. Für ihre Illustrationen hat sie zahlreiche Preise gewonnen, so den »Goldenen Apfel« der Biennale in Bratislava und das Troisdorfer Bilderbuchstipendium. Für Moritz illustrierte sie bereits zwei Bücher von Christian Oster, *Der Ritter ohne Socken* und *Besuch beim Hasen* (nominiert für den Deutschen Jugendliteraturpreis 2014) sowie *Hat Jesus Fußball gespielt?* von Antje Damm. Zuletzt erschien ihr Bilderbuch *Seepferdchen sind ausverkauft* (Text von Constanze Spengler).

Stadtbär entstand 2017 im Rahmen eines Projekts mit der Kommunikationsagentur Weissgrund, Zürich.
Mitarbeit am Text: Tobias Hiep

**Ausgezeichnet mit dem Kinderbuchpreis
des Landes Nordrhein-Westfalen 2019**

Eine weitere Stadtbär-Geschichte:
Stadtbär im Wald

Ein Moritz Kinderbuch

4. Auflage, 2021
© 2019 Moritz Verlag, Frankfurt am Main
Alle Rechte vorbehalten
Lektorat: Franziska Neuhaus
Einbandgestaltung: Norbert Blommel,
unter Verwendung einer Illustration von Katja Gehrmann
Druck: Beltz Grafische Betriebe, Bad Langensalza
Printed in Germany
ISBN 978 3 89565 376 6
www.moritzverlag.de

Katja Gehrmann

Stadtbär

Moritz Verlag
Frankfurt am Main

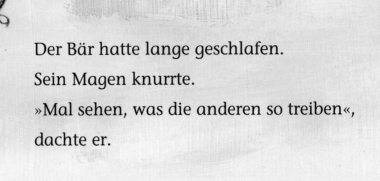

Der Bär hatte lange geschlafen.

Sein Magen knurrte.

»Mal sehen, was die anderen so treiben«,

dachte er.

7

Er streifte durch die Wälder.

»Komisch«, überlegte er, »dem Fuchs bin ich aber schon lange nicht mehr begegnet. Und die Biberburg sieht auch so ungepflegt aus.«

»He, Habicht, wo sind Fuchs,
Biber, Dachs und all die anderen?
Hat der Jäger sie erwischt?«
»Ach ja, das weißt du noch
gar nicht. Die sind
alle in die Stadt
gezogen.«

»In die Stadt? Zu den Menschen?«, fragte der
Bär ungläubig.

»Dort gibt es beheizte Höhlen, leckeres Essen
und vor allem: keine Jäger. Mein Cousin wohnt
auch dort und findet es prima.«

»Hmmm ...«, brummte der Bär, »beheizte
Höhlen, leckeres Essen ... Das klingt gut. Die

Jäger werden immer frecher. Ich glaube, ich
ziehe auch um.«

»Du?«, meinte der Habicht. »Das ist nichts für
dich. In der Stadt muss man geschickt sein und
sich anpassen. Du bist den Menschen doch viel
zu gefährlich. Und du fällst zu sehr auf!«

»Was soll denn das heißen? Findest du mich
etwa ungeschickt?«, brummte der Bär verärgert.
»Wo ist denn diese Stadt?«

»Na, wenn du meinst ... Da lang«, seufzte
der Habicht, zeigte ihm die Richtung und flog
davon.

Schnell hatte der Bär eine
Mitfahrgelegenheit gefunden.

»Diese großen Steine mit Löchern drin, das muss die Stadt sein«, dachte der Bär. »Mal sehen, wo die anderen sind.«

Als der Laster an einer roten Ampel hielt, sprang der Bär ab.

»Entschuldigung«, sagte er und tippte einem Passanten auf die Schulter:

»Ist das hier die Stadt?«

»Etwas schreckhaft, diese Städter«, murmelte
der Bär.

»Solche Sachen trägt man hier also? Dann
mach ich das besser auch.«

Der Fuchs war bereits vor einigen Monaten
in die Stadt gezogen. Unter einem Kiosk hatte
er einen Bau mit Vollpension gefunden.
Sobald es dämmerte und ruhiger wurde,
verließ er seine Höhle und streifte durch die
Straßen.

Manchmal traf er alte Bekannte aus dem
Wald in einem Park hinter dem Sägewerk.

Hin und wieder sah er auch den Dachs, der seinen Bau unter einer Verkehrsinsel gegraben hatte und dort nachts ungestört Jagd auf Regenwürmer machte.

»In der Stadt kann man wirklich die tollsten
Sachen finden!«, sagte der Marder begeistert,
als er im Laub auf einen großen Fellhaufen

stieß: »Das ist wirklich gutes Material für meine
kuschelige Höhle.«

Er zog kräftig an einigen Büscheln.

»Grrrr!«, brummte der Fellhaufen.

»Oh, das ist doch der Bär? Was macht der denn hier? Das muss ich den anderen erzählen.«

»Der Bär ist hier in der Stadt?«, fragte der Fuchs
ungläubig. »Das gibt Ärger.«

»Wieso?«, fragte der Biber. »Es liegt doch genug
Essen für alle herum.«

»Der Bär bringt uns in Gefahr. Wir passen uns
an, sind unauffällig und für die Menschen fast
unsichtbar – und nun kommt dieser riesige,
ungeschickte Kerl«, erwiderte der Fuchs:

»Die Menschen werden Angst bekommen und
die Jäger holen – und dann ist es mit unserer
Ruhe hier vorbei.«

»Wir müssen den Bären verjagen!«, rief der
Habicht.

»Ach, das klappt nie«, sagte der Fuchs.

Die Tiere waren ratlos. Wie sollten sie den
Bären wieder loswerden?

»Ich hab's!«, rief der Marder nach einer Weile:

»Es gibt hier in der Stadt ganz moderne Wohnungen. Nicht groß, aber sehr gepflegt. Lauter interessante, internationale Nachbarn. Vollverpflegung und sogar medizinische Versorgung. Und vor allem: keine Jäger! Also ideal für Bären.«

»Super! Das erzählst du uns erst jetzt? Wo ist das?«, grummelte der Dachs.

»Im Zoo!«

»Oh!«, sagte der Dachs.

»Prima Idee, Marder!«, meinte der Fuchs.
»Lass uns schnell zum Bären gehen, bevor die
Menschen ihn entdecken. Wir laden ihn zu
einem kleinen Ausflug in den Zoo ein. Und
dann hauen wir einfach ab und lassen ihn da.«

Als die Tiere zur Stelle neben der Bank kamen,
war der Bär nicht mehr da.

»Und was machen wir jetzt?«

»Los, jeder macht sich auf die Suche! Er ist ja
nicht zu übersehen«, meinte der Fuchs.

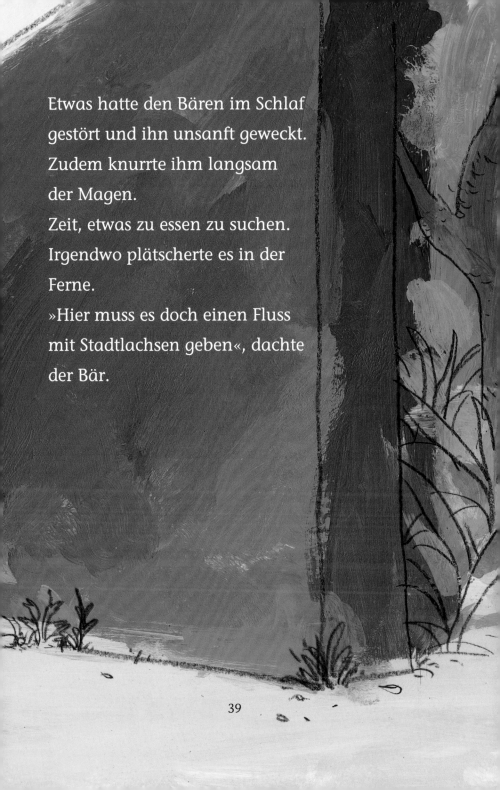

Etwas hatte den Bären im Schlaf
gestört und ihn unsanft geweckt.
Zudem knurrte ihm langsam
der Magen.
Zeit, etwas zu essen zu suchen.
Irgendwo plätscherte es in der
Ferne.
»Hier muss es doch einen Fluss
mit Stadtlachsen geben«, dachte
der Bär.

Der Marder langweilte sich
auf seinem Beobachtungsposten.
Vom Bären keine Spur, dafür aber
so ein merkwürdiger Kerl, der zum
Brunnen lief …

… hineinstieg und gleich einen Goldfisch in
der Schnauze hielt.

»Ich bin von den Städtern ja einiges
gewöhnt …«, murmelte der Marder.

»Aber he! Das ist ja der Bär!«

Er wollte gerade vom Baum springen, als er
hinter sich Lärm hörte: ein Kindergartenausflug!

»Oje, wenn die den Bären sehen …
Ich muss sie ablenken.«

Mit dem alten Mützentrick lockte er die Kinder
vom Brunnen weg.

»Die werden immer frecher, diese Viecher!«,
schimpfte die Erzieherin.

Als der Marder zurückkam, war der Bär
verschwunden.

»Diese mickrigen
Lachse reichen ja
nicht mal als
Vorspeise«, dachte
der Bär.
»Hm, aber hier
riecht es richtig gut!«

Von seiner Verkehrsinsel hatte der Dachs die Straße gut im Blick.

Die meisten Menschen machten Mittags-pause – nur ein komischer Typ kletterte auf den Müllcontainer und schnupperte.

»Aber Moment – ist das nicht der Bär?«

Der Dachs wurde ganz aufgeregt. »Ich muss zu ihm rüber«, dachte er, doch der Verkehr war einfach zu dicht.

»Hallo, Bär!«, rief der Dachs und wedelte wie verrückt mit den Vorderpfoten.

Es half nichts, er musste auf eine Lücke zwischen den Autos warten.

»Oh nein! Da will er doch nicht reingehen«,
dachte der Dachs entsetzt. »Ich muss ihn auf-
halten!«

»Oh, schaut mal, da draußen,
der komische Hund!«

56

»Das ist ja ein Dachs!«

»Ein echter Dachs!«

»Was macht der in der Stadt?«

»Und da hinten kommt noch

ein Marder!«

»Hmm, lecker«,

brummte der Bär

zufrieden.

»Guuuut, dieses Stadtessen«,
dachte der Bär. »Und jetzt
ein kleines Schläfchen in einer
dieser warmen Höhlen …«

Der Biber knabberte an einem frischen Zweig
und langweilte sich.

»Kein Bär weit und breit«, dachte er.

»Nur so ein komischer Typ, der den Bahndamm
hochklettert. Hoffentlich zertrampelt der mir
nicht die leckeren Weiden.
Aber Moment! Das ist ja der Bär! Super, ich hab
ihn! Gleich bin ich der Held des Tages.«

Er sprang vom Dach und hastete
so schnell er konnte den Bahndamm
hinauf.
Als der Biber oben ankam, war kein Bär
mehr zu sehen. Dafür surrten die
Schienen.
»Oje, der 16:23-Uhr-Zug kommt.
Ich muss etwas unternehmen,
sonst gibt es Bärenbrei.«
Sein Blick fiel auf einen
Mast …

Mit einer Vollbremsung konnte der Zugführer den Zug gerade noch stoppen.

»Das gibt's doch nicht – Biberspuren. Mitten in der Stadt!«, schimpfte er in sein Telefon.

»Bäh!« Der Biber spuckte aus: »Imprägniertes Holz.«

Schnell rannte er zum Tunnel.

»Komische Höhle. Ganz schön zugig.
Und erst dieser Fußboden«, dachte der Bär.
»Nicht gerade gemütlich.«

Am Tunneleingang trafen
Dachs und Marder den Biber.
»Er ist mir entwischt«, sagte
der Biber enttäuscht.
»Ja, wirklich – ein BIBER-
SCHADEN!«, brüllte der
Zugführer ins Telefon.
»Oh«, meinte der Biber
verlegen, »nichts wie
weg hier!«

»Ist er euch entwischt?«, fragte der Fuchs.
»Wie konnte das passieren? Nun gut, Haupt-
sache, keiner hat euch gesehen.«
»Ähm … ja«, meinte der Dachs verlegen.

»Kommt schnell!«, rief der Habicht aus der Luft.
»Ich habe den Bären gesehen. Er geht zur
großen Brücke.«
»Los!«, rief der Fuchs. »Diesmal müssen wir ihn
    erwischen!«
        Die Tiere rannten los.

»Aufgepasst, da kommt er!«,
zischte der Fuchs.

»Überfall! Wilde Tiere! Tollwut! Polizei!«, schrie
der Bärtige.

»Polizei! Ihr seid festgenommen!«,
donnerte eine Stimme.
»Hilfe, ich sehe nichts«, jammerte
der Biber.

»He, da seid ihr ja endlich!«,
rief der Bär erfreut.
»Ich habe euch überall gesucht!«

»Wie schön, euch wiederzusehen«,
freute sich der Bär.
»Ja, ähm … Aber sollten wir
nicht lieber schnell von hier
verschwinden?«, warf
der Fuchs vorsichtig ein.
»Gut, machen wir.«

»Warum habt ihr den Mann denn überfallen?«,
fragte der Bär. »Macht ihr das immer so? Ich
dachte, man muss hier unauffällig bleiben.«
»Tja …«, sagte der Fuchs verlegen.

»Und die modernen Wohnungen im Zoo …?«,
flüsterte der Marder dem Fuchs zu.

»Was meinst du, Marder?«, fragte der Bär.

»Ach, nichts …«

»Eure Stadt ist wirklich spannend.
Aber ehrlich gesagt, mir ist sie
zu spannend. Ich vermisse den
Wald.« Der Bär reckte sich. »Ich
geh zurück. Wer kommt mit?«

Der Bär schleuderte die Tasche in den Fluss.

»Was war denn in deiner Tasche?«, fragte der
Marder.

»Nur so kleine bedruckte Zettel mit Zahlen
drauf. Ist das wichtig? Ich dachte, das trägt man
hier so.«